Gaelic in the Landscape
Place names in the North West Highlands

A' Ghàidhlig air Aghaidh na Tìre
Ainmean-àite ann an Iar-thuath na Gàidhealtachd

Ruairidh MacIlleathain

SCOTTISH NATURAL HERITAGE

DUALCHAS NÀDAIR na h-ALBA

ISBN 978-1-85397-530-1 paperback

Text/Teacs: Ruairidh MacIlleathain

Design and Production/Deilbh is Foillseachadh: Vicky Ogilvy/SNH Design and Publications

Photography/Dealbhan:

Laurie Campbell/SNH 28; **John Charity** 34; **Lorne Gill/SNH** under poem, opposite contents, 1, 3, 10, 11, 13, 14/15, 18, 24/25, 29, 30; **Paul Hobson/naturepl.com** 31; **John Macpherson** 16/17; **John Macpherson/SNH** frontispiece, 4/5, 35; **Glyn Satterley** 33; **Iain Sarjeant** cover, 7, 8, 9, 12, 19, 20/21, 22/23; **Iain Sarjeant/Sutherland Partnership** 26.

Maps/Mapaichean: Wendy Price

Scottish Natural Heritage
Design and Publications
Battleby
Redgorton
Perth, PH1 3EW
Tel: 01738 444177
Fax: 01738 458613
E-mail: pubs@snh.gov.uk
Website: http://www.snh.org.uk

Dualchas Nàdair na h-Alba
Deilbh is Foillseachadh
Battleby
Rath a' Ghoirtein
PEAIRT, PH1 3EW
Fòn: 01738 444177
Facs: 01738 458613
Post-d: pubs@snh.gov.uk
Làrach-lìnn: http://www.snh.org.uk

Cover photograph:
Suilven
Sula Bheinn

Gaelic in the Landscape
Place names in the North West Highlands

A' Ghàidhlig air Aghaidh na Tìre
Ainmean-àite ann an Iar-thuath na Gàidhealtachd

Canisp, Suilven & Cul Mor
Canasp, Sula Bheinn is A' Chuthaill Mhòr

Fàilte do Thìr nam Beann

le Iain Camshron nach maireann, Inbhir Àsdal

Fàilte do Thìr nam Beann;

Fàilte do gach frìth is gleann;

Fàilt' agus fàilt' nach gann;

Fàilte do Thìr nam Beann.

Fàilte bhlàth don fhraoch 's don chluaran,

'S do gach alltan beag is fuaran,

Blàraibh chanach 's achaidh luachrach

'S creagan gruamach Tìr nam Beann...

Welcome to the Land of the Mountains

by the late Iain Cameron of Inverasdale

Welcome to the land of the mountains; welcome to every deer forest and glen;

welcome and a great welcome, welcome to the land of the mountains.

A warm welcome to the heather and the thistle, and to every little stream and spring,

meadows of bog cotton and fields of rushes and the forbidding rocks of the land of the mountains...

Loch a' Mhuilinn National Nature Reserve. The name comes from a freshwater loch on the reserve whose waters were once used to drive milling stones.

Tèarmann Nàdair Nàiseanta Loch a' Mhuilinn. Tha an t-ainm a' tighinn bho loch uisge a bhathar a' cleachdadh uaireigin airson clachan-brà obrachadh.

CONTENTS/CLÀR-INNSE

Oak fern
Sgeamh Dharaich

A note on the Gaelic language

Scottish Gaelic is a Celtic language, closely related to the Gaelic of Ireland and the Isle of Man, and more distantly related to Welsh, Breton and Cornish. As in the other Celtic tongues, the form of words can vary quite significantly, a phenomenon commonly observed in place names. A noun like *gleann* ("glen"), for example, can occur as *ghleann, glinn, ghlinn, ghlinne, gleannan* and *ghleannan*. An adjective like *beag* ("small") can occur as *bheag, bhig, bige, beaga* and *bheaga*. *Mòr* ("large") can occur as *mhòr, mhòir, mòire, mòra* and *mhòra*.

Here are some examples:

- Allt a' Ghlinne Bhig ("the burn of the small glen")
- Coille a' Ghlinne Mhòir ("the wood of the big glen")
- Loch nam Breac Mòra ("the loch of the big trout").

The text refers to areas of the North West Highlands which have their own names in both Gaelic and English (see map on inside back cover for locations). As the following are not explained in the text or in the table of place names at the end, a short account is given here:

- Applecross is a Pictish survival meaning the "mouth of the Crossan River"; its Gaelic name is *A' Chomraich* ("the Sanctuary") – established by Saint Maol Rubha who founded a monastery there in 673 AD.

- Assynt (*Asainte* in Gaelic) is cryptic, and probably Norse. It has been variously suggested as meaning "rock end" or "seen from afar" but this is still debated. Within its boundary is Elphin (*Ailbhinn*), "rock peak".

- Coigach (*A' Chòigeach* in Gaelic) is the "place of fifths". Land was often divided into "fifths" in ancient times.

- Fisherfield is a translation of the Gaelic *Innis an Iasgaich* (literally "the meadow of the fishing").

Three other locations mentioned several times in the text:

- Cape Wrath (*Am Parbh* in Gaelic) is from the Norse *hvarf*, "turning point", where boats travelling to and from Scandinavia would change course.

- Kylesku is derived from *An Caolas Cumhang* – the narrow kyle ("stretch of water").

- Ullapool (*Ulapul*) is Norse, meaning "Ulli's farm".

Seo sgìrean a th' air an ainmeachadh anns an teacsa, ach nach eil air am mìneachadh:

- A' Chomraich (Applecross): chaidh an t-ainm Gàidhlig a shuidheachadh ann nuair a stèidhich Naomh Maol Rubha manachainn sa bhliadhna 673 AC. Tha Applecross a' tighinn bhon Chruithnis, a' ciallachadh "beul Abhainn Chrosain".

- Asainte (Assynt): Chan eilear cinnteach cò às a thàinig an t-ainm ach tha dùil gu bheil e Lochlannach. Tha cuid air a mhìneachadh mar "ceann cloiche" no "ri fhaicinn bho fhad' air falbh" ach thathar a' deasbad sin fhathast. Taobh a-staigh crìochan Asainte tha Ailbhinn (Elphin), "sgòr creagach".

- A' Chòigeach (Coigach): Fearann a th' air a roinn ann an còig pìosan. Bha sin cumanta anns an t-seann aimsir.

- Innis an Iasgaich (Fisherfield): Tha a' Bheurla na eadar-theangachadh air a' Ghàidhlig.

Tha iomradh grunn tursan anns an teacsa air trì àiteachan eile:

- Am Parbh (Cape Wrath): bhon Lochlannais *hvarf*, "àite tionndaidh", far am biodh soithichean ag atharrachadh an cùrsa nuair a bha iad air an t-slighe eadar Lochlann agus taobh an iar na h-Alba.

- An Caolas Cumhang (Kylesku): tha an t-ainm a' dèanamh tuairisgeul math air a' chaolas seo, far a bheil drochaid an-diugh.

- Ulapul (Ullapool): ainm Lochlannach, a' ciallachadh "baile-fearainn Ulli". 'S e Ulli ainm pearsanta.

Clò Mòr, Cape Wrath
Clò Mòr, Am Parbh

A LAND STEEPED IN HERITAGE

The natural beauty of the North West Highlands of Scotland is world famous. For those with a command of Gaelic, however, the close relationship between language and landscape affords that beauty an even greater intensity. The land speaks to us through our language. If for no other reason than that, it is important that this generation of Scots takes seriously its responsibility for the care and conservation of Gaelic, just as it takes seriously its responsibility for the conservation of its land and waters.

Gaelic is not the only language which left its mark upon the land. There are also Pictish, Norse and English influences throughout the area. However, the backbone of our place name heritage is Gaelic and, for a better understanding of our landscape, it is necessary to understand our language. This booklet is designed to contribute, in a small way, to an improved awareness of the links between language and land.

The question is often posed as to why places of the same name (e.g. Beinn Dearg) appear more than once on the map of Scotland. The reason is that the people who named them had a local perspective – they knew their own immediate environment with a degree of intimacy that most of us today can only guess at – and if some other folk had their own "red mountain" thirty miles away, so be it.

This intimacy may have weakened, but even today, thanks to our place names, history and legends, we still have a landscape full of beauty and meaning.

TÌR LÀN DUALCHAIS

Tha bòidhchead Gàidhealtachd na h-Alba ainmeil dha-rìridh. Ach do dhaoine aig a bheil Gàidhlig, tha an t-uabhas dhen bhòidhchid sin co-cheangailte ris a' chànan, agus mar a tha an cànan co cheangailte ris an dùthaich. Tha ar dùthaich a' conaltradh leinn tror cànan. Mura robh fear eile ann, bhiodh sin na adhbhar mòr gu leòr do dh'Albannaich a bhith a' glèidheadh na Gàidhlig le deòin is cùram, dìreach mar a tha iad a' dìon am fearainn is an uisgeachan.

Chan i a' Ghàidhlig an aon teanga a dh'fhàg a lorg air uachdar na talmhainn. Tha criomagan Cruithneach an siud 's an seo, agus dh'fhàg an t-Seann Lochlannais agus a' Bheurla an dìleab cuideachd. Ach 's i a' Ghàidhlig cnàimh-droma dualchas ar n-ainmean àite agus, airson tuigse fharsaing a bhith aig duine air tìr na Gàidhealtachd, tha e riatanach gun tuig e ar cànan. Thathar an dòchas gun cuir an leabhran seo,

gu ìre bheag air choreigin, ri tuigse dhaoine air na ceanglaichean eadar tìr is teanga.

Bha dlùth-cheangal aig na seann daoine ris an àrainneachd. Uaireannan chitheadh daoine an aon rud san sgìre aca 's a chitheadh feadhainn eile pìos beag air falbh san sgìre aca fhèin. Mar sin, nochdaidh an t-aon ainm-àite (me a' Bheinn Dearg) grunn tursan ann an Alba.

Chan eil an ceangal sin eadar daoine is àrainneachd cho làidir 's a bha e, ach eadhon an-diugh, agus eadhon ann an àiteachan garbha far nach eil duine a' fuireach, chan e dùthaich fhalamh a th'againn idir. Eadar sìthichean, sinnsirean, sgeulachdan, cuimhneachain is ainmean-àite, tha an dùthaich seo loma-làn dualchas cultarach a tha brìoghmhor is brosnachail.

A COLOURED LANDSCAPE

A number of colours appear in the Gaelic landscape as adjectives. *Dubh*, "black" or "dark", is common, as in the *Gleann Dubh* ("black glen") in Assynt, and the *Coire Dubh Mòr* ("great black corrie") of *Liathach* in Torridon. Colours may occur in pairs where two neighbouring features show contrasting characteristics. A good example is the *Dubh Loch* ("dark loch") of Letterewe which sits directly under high brooding hills and which contrasts with its neighbour, the *Fionn Loch* ("fair loch") which is in open country where there is more light.

Above the *Dubh Loch* is the *Ruadh Stac Mòr* ("big red-brown steep hill") whose colour adjective describes perfectly its cap of red Torridonian sandstone. *Dearg*, a common element in place names, generally describes a brighter red than *ruadh*. A good example is the *Beinn Dearg* ("red mountain") of Inverlael Forest. In some instances *dearg* may describe a notable colouration of rock under certain conditions, such as sunset.

In the landscape, *gorm* generally refers to the green of vegetation. The *Meall Gorm* of Applecross is the "green hill". *Glas* is another adjective which meant "green" historically, although we usually interpret it as "grey"

today. The *Coire Glas* of Applecross is the "green corrie", while *Coille na Glas-leitir* adjacent to Loch Maree is the "wood of the grey slope". Another word meaning "grey" (a light shade) is *liath*, as in *Creag Liath* ("grey crag") near Elphin and the mountain called simply *Liathach* ("the light grey one") in Torridon.

Other colour adjectives that are relatively common are *buidhe* ("yellow"), as in *Allt a' Choire Bhuidhe* ("burn of the yellow corrie") near *Seana Bhràigh*, and *bàn* ("fair"), as in *Sgùrr an Tuill Bhàin* ("peak of the fair hollow") on Slioch. *Riabhach* ("brindled") and *breac* ("speckled") are also well represented. All of these terms usually reflect colours and patterns of vegetation on the landscape; *riabhach* can sometimes represent the appearance of an exposed location where the wind has caused ground-hugging plants to grow in strips, where they gain shelter in hollows.

Liathach
Liathach

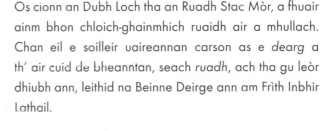

DÙTHAICH DHATHTE

Tha cuplachadh ainmean-àite an ìre mhath cumanta air a' Ghàidhealtachd, agus chithear sin glè mhath san Dubh Loch agus a nàbaidh, am Fionn Loch, ann am Frìth Leitir Iù. 'S e cho faisg 's a tha bearraidhean dorcha a dh'fhàgas *dubh* air an dàrna fear, agus cho fosgailte 's a tha an dùthaich mu a thimcheall a dh'fhàgas *fionn* air an fhear eile.

Os cionn an Dubh Loch tha an Ruadh Stac Mòr, a fhuair ainm bhon chloich-ghainmhich ruaidh air a mhullach. Chan eil e soilleir uaireannan carson as e *dearg* a th' air cuid de bheanntan, seach *ruadh*, ach tha gu leòr dhiubh ann, leithid na Beinne Deirge ann am Frìth Inbhir Lathail.

Air mapaichean tìre tha *gorm* a' ciallachadh dath an fheòir mar as trice, me am Meall Gorm air a' Chomraich, air a bheil feurachadh math. Bha *glas* a' ciallachadh an aon seòrsa datha o shean agus, mar sin, 's iad lusan a tha Coire Glas na Comraich a' comharrachadh, seach creag. Ge-tà, tha Coille na Glas-leitir ri taobh Loch Ma-Ruibhe air eadar-theangachadh mar "the wood of the grey slope". 'S e *liath* dath eile a tha rudeigin cumanta sna beanntan – mar a' Chreag Liath faisg air Ailbhinn agus Liathach ann an Toirbheartan.

'S iad buadhairean dathach eile a tha rudeigin cumanta *buidhe*, leithid Allt a' Choire Bhuidhe faisg air an t-Seana Bhràigh, agus *bàn* (me Sgùrr an Tuill Bhàin air an t-Sleaghach). Nochdaidh *riabhach* is *breac* gu tric cuideachd, agus iad a' riochdachadh dath is cumadh lusan. Mar eisimpleir, chithear *riabhach* uaireannan far a bheil a' ghaoth a' sèideadh gu làidir, a' fàgail lusan ìosal ann an stiallan.

THE LONG AND SHORT OF IT

Many adjectives found in place names give indications of what you can see on the ground. *Mòr* ("big/great") is extremely common – examples are the *Sàil Mhòr* ("great spur") in Torridon and *Beinn Mhòr na Còigich* ("the big mountain of Coigach"), often partially anglicised as *Ben Mòr Coigach*. *Beag* means "small". The Gaelic for Little Loch Broom is *An Loch Beag* ("the small loch"), it being small in comparison to its neighbour. *Cnoc Mòr an Rubha Bhig* ("big hill of the small promontory") near Achnahaird in Coigach shows both *mòr* and *beag*, the latter in the form *bhig*. *Fada* means "long", as in the *Loch Fada* ("long loch") near Aultbea. Gairloch is from *Geàrr Loch* – "short loch".

Meadhanach ("middle") is a common adjective in place names. There are several hills – lying between others – called *Am Meall Meadhanach*. Mountains called *Beinn Tarsainn* ("cross-wise mountain") generally lie across the line of the approach route.

Hill walkers should be aware of *garbh* which means "rough" – such as in the *Garbh Choire Mòr* ("big rough corrie") in the Fannich Forest and the *Sàil Gharbh* ("rough spur") of Quinag in Assynt. *Rèidh* ("level", "smooth"), on the other hand, generally indicates ease of travel. Two neighbouring hills south of Loch Assynt – *Beinn Gharbh* and *Beinn Rèidh* – provide another good example of contrasting name pairs. *Bog*, "soft", is another useful word; there is a *Coire Bog* ("soft corrie") east of Kinlochewe.

MÒR IS BEAG IS MEADHANACH

'S iomadh ainm-àite anns an nochd na buadhairean *mòr* is *beag*, me an t-Sàil Mhòr ann an Toirbheartan agus Beinn Mhòr na Còigich. Cuideachd anns a' Chòigich chithear *beag* is *mòr* còmhla – ann an Cnoc Mòr an Rubha Bhig faisg air Achadh na h-Àirde. 'S e an Loch Beag a chanar ri Little Loch Broom oir tha e nas lugha na nàbaidh. 'S e *fada* buadhair meudach eile a tha cumanta, me an Loch Fada faisg air an Allt Bheithe. Agus 's ann *geàrr* a tha an loch mara a thug ainm do Gheàrrloch.

De na buadhairean suidheachail, 's dòcha gur e *meadhanach* am fear as cumanta a nochdas. Tha grunn bheanntan – suidhichte eadar feadhainn eile – air a bheil am Meall Meadhanach. Agus tha *tarsainn* rudeigin cumanta san dùthaich seo cuideachd. Tha an fheadhainn air a bheil Beinn Tarsainn mar as trice a' dol tarsainn no trasta na slighe air an tèid daoine dhan ionnsaigh.

Bu chòir do luchd-coiseachd feart mhath a ghabhail air an fhacal *garbh*. Tha eisimpleirean anns a' Gharbh Choire Mhòr ann am Frìth Fainich agus san t-Sàil Ghairbh air a' Chuinneig ann an Asainte. Air an làimh eile, tha *rèidh* ag innse dhuinn nach bi duilgheadasan mòra ann do luchd-coiseachd. Tha dà bheinn faisg air a chèile deas air Loch Asainte – a' Bheinn Gharbh is a' Bheinn Rèidh – nan eisimpleir eile de chuplachadh ainmean. Tha fhios cò an tè as fhasa! Tha *bog* feumail cuideachd; tha an Coire Bog sear air Ceann Loch Iù na dheagh eisimpleir.

Sàil Gharbh
An t-Sàil Gharbh

GETTING HIGH

The diversity of Scotland's hills and mountains is more than matched by the variety of words in our language to name them. There are over 70 Gaelic terms which mean a hill, mountain or high ground.

The most obvious is *beinn*, anglicised ben – a mountain or hill of substantial size. Examples are *Beinn Eighe* ("file mountain") in Torridon – named from its resemblance to a 3-sided file – and *Beinn an Fhuarain* ("mountain of the spring/water source") in Assynt. Ben Hope (*Beinn Hòb*) and Suilven (*Sula Bheinn*) are examples of mountains with a mixed Gaelic-Norse heritage; their names mean "bay mountain" and "pillar mountain" respectively.

Meall represents "a large hill" or "mountain", often of no great distinguishing shape. An example is *Meall na Leitreach* ("hill of the slope") east of Kylesku. *Maol* is a "bare rounded hill", e.g. *Maol an Uillt Mhòir* ("bare hill of the big burn") in Applecross. *Sgùrr* and *sgòrr* represent peaks or high hills which generally come to a rocky and/or pointed summit e.g. *Sgurr a' Chaorachain* ("hill of the torrents") in Applecross and the paired *Sgòrr Tuath* ("northern peak") and *Sgòrr Deas* ("southern peak") on *Beinn an Eòin* in Coigach.

Stùc is a "spur" or "pinnacle" as in *Stùc Coire nan Laogh* ("pinnacle of the corrie of the calves") on Beinn Eighe in Torridon. *Spiodan* ("pinnacle") is derived from a Wester Ross dialect word *spiod* meaning a "sharp-pointed object"; it is usually written as *spidean* on the maps e.g. *Spidean Coire nan Clach* ("pinnacle of the corrie of the stones") on Beinn Eighe.

Càrn is the Gaelic original from which the English "cairn" is derived, and it still means a "pile of stones". However it can also refer to a hill, often rocky. An example is the *Càrn Dearg* ("red rocky hill") in Applecross. A creag is a "large rock" or a "crag", e.g. *Creag nan Calman* ("crag of the doves") on Cul Mòr in Assynt.

Beinn Eighe
Beinn Eighe

Nach iongantach na th' againn de dh'fhaclan a tha a' ciallachadh beinn, cnoc no rudeigin dhen t-seòrsa – co-dhiù 70 aca, eadar *aghaidh* is *uchdan* ann an òrdugh na h-aibidil. 'S e *beinn* as ainmeile, le eisimpleirean mar Beinn Eighe ann an Toirbheartan (a tha coltach ri eighe thrì-thaobhach) agus Beinn an Fhuarain ann an Asainte. Tha Beinn Hòb ("beinn a' bhàigh") agus Sùla Bheinn ("colbh-bheinn") a' sealltainn dualchas measgaichte eadar Gàidhlig is Lochlannach.

Chan eil cumadh sònraichte aig *mill* ged a dh'fhaodas iad a bhith àrd. 'S e Meall na Leitreach faisg air a' Chaolas Chumhang eisimpleir dhiubh. 'S e beinn chruinn lom a th' ann am *maol* me Maol an Uillt Mhòir air a' Chomraich. Tha mullaichean biorach no creagach aig *sgurran* is *sgorran* me Sgùrr a' Chaorachain ("nan easan brasa") air a' Chomraich agus an Sgòrr Tuath is Sgòrr Deas air Beinn an Eòin anns a' Chòigich.

Tha *stùc* (me Stùc Coire nan Laogh air Beinn Eighe) agus *spiodan* ("spidean" air na mapaichean) le chèile a' ciallachadh "binnean". Tha *càrn* a' ciallachadh "beinn" no "cnoc", a tha gu tric creagach, me an Càrn Dearg air a' Chomraich. Agus tha *creag* a' riochdachadh "cnoc" a bharrachd air "clach mhòr", me Creag nan Calman air a' Chuthaill Mhòir ann an Asainte.

Suilven
Sula Bheinn

Cnoc is a generic word for a hill which is smaller than a *beinn* or *meall*, e.g. *Cnoc an Fhuarain Bhàin* ("hill of the fair spring") north of Ben More Assynt. *Cnocan* is a small *cnoc*. Knockan near Elphin, a famous location for geological interpretation, is *An Cnocan* ("the small hill").

Parts of the body crop up in landscape names frequently. Examples are *sàil* ("heel/mountain spur"), *sròn* ("nose/ridge running off a mountain"), *druim* ("back/ridge"), *cìoch* ("breast/breast shaped hill"), *gualann* ("shoulder/corner of a mountain") and *ceann* ("head/end").

Some mountains have entirely unique names. Slioch is *An Sleaghach*, "the spear one", possibly for its dramatic pointed buttresses. The proper pronunciation of Quinag ("KOON-yak") only makes sense in the original Gaelic (*cuinneag*), a "water pail", which it is thought to resemble.

Sgòrr Tuath & Sgòrr Deas, Beinn an Eòin
Sgòrr Tuath is Sgòrr Deas, Beinn an Eòin

Chan eil cnuic cho àrd ri beanntan no mill, me Cnoc an Fhuarain Bhàin tuath air Beinn Mhòr Asainte. 'S e an cnocan (cnoc beag) as ainmeile fear faisg air Ailbhinn ("An Cnocan") far a bheil taisbeanadh mu Chreag-eòlas.

Thathar a' toirt ainmean-àite bho phàirtean dhen bhodhaig cuideachd – mar sàil, sròn, druim, cìoch, gualann agus ceann. Tha Sùileag ann an Asainte a' ciallachadh "sùil bheag" – air sàilleabh 's gu bheil lag ann le poll uisge innte – a tha a' coimhead coltach ri sùil.

Tha ainmean àraidh air cuid de bheanntan, me an Sleaghach ('s dòcha airson cumadh nan creag, coltach ri biorain shleaghan, air cliathaich na beinne) agus a' Chuinneag – a tha a' coimhead neònach le dreach na Beurla oirre (Quinag).

Globe Sculpture, Knockan Crag National Nature Reserve
Dealbhadh Cruinne, Tèarmann Nàdair Nàiseanta Creag a' Chnocain

OFF THE TOPS

In a mountainous landscape, the names of features between the summits often tell us a great deal about past land use. *Bealach*, a "pass used by travellers", is an example. It is often found in country which appears remote today – e.g. *Bealach Coire a' Choin* ("pass of the dog's corrie") near Cape Wrath. *Bealach nam Bò* ("pass of the cows") in Applecross, now the route of a spectacular road, was an old droving route, more favourable to livestock than the neighbouring *Bealach nan Àrr*, originally *Bealach nan Àradh* ("pass of the ladders"), where humans, but not cattle, crossed the hills by way of steps cut into the mountainside.

While a *bealach* may vary in dimensions, a *cadha* (also translated as "pass") is narrow and often steep, and may ascend a hillside diagonally. *Cadha na Beucaich* on Foinaven is the "pass of the roaring" (*beucaich* might refer to the noise of the wind or of rutting stags). A *clais* is a "cleft" or "gorge", as in Clashmore (*An Clais Mòr*, "the big cleft") in Assynt.

Gleann, anglicised "glen", appears in its Gaelic form on the map in many locations, such as *Gleann na Muice* ("glen of the pig") in Fisherfield and *Allt a' Ghlinne Dhorcha* ("burn of the dark glen") in Assynt. *Coire* is another Gaelic word which crossed into English, and

Bealach nam Bò
Bealach nam Bò

BEALAICHEAN IS COIREACHAN

Far am faicear am facal *bealach*, tha fhios againn gum biodh daoine a' gluasad troimhe gu tric, ged a tha an t-àite gun sluagh an-diugh (me Bealach Coire a' Choin air a' Pharbh. Bhite a' dròbhadh crodh tro Bhealach nam Bò air a' Chomraich oir cha robh am bealach eile faisg air làimh – Bealach nan Àrr ("nan àradh" oir bha steapaichean air an dèanamh air cliathaich na beinne) – freagarrach do stoc.

Ged a tha *cadha* a' ciallachadh "leathad" ann an sgìrean eile dhen Ghàidhealtachd, tha e na bhealach cumhang is uaireannan cas anns an Iar-thuath. Tha Cadha na Beucaich air an Fhoinne Bheinn. Tha *beucaich* ann an ainmean-àite ag aithris air fuaim na gaoithe no dàmhair nam fiadh. Tha *clais* a' ciallachadh "gearradh san talamh", me an Clais Mòr ann an Asainte.

Tha *gleann* gu math cumanta, uaireannan le dreach na Beurla (*glen*) air. Tha Gleann na Muice ann am Frìth Innis an Iasgaich agus tha Allt a' Ghlinne Dhorcha ann an Asainte. 'S e *coire* facal Gàidhlig eile a chaidh a-null don Bheurla, agus tha mòran a' tomhas nan coireachan am measg nan rudan as prìseile 's as bòidhche a th' againn ann am beanntan na h-Alba. Chaidh am moladh gu mòr le bàird mar Dhonnchadh Bàn Mac an t-Saoir agus am Pìobaire Dall (Iain MacAoidh) à Geàrrloch a sgrìobh Cumha Choir' an Easain.

many lovers of the Scottish hills consider our *coireachan* (corries) to be among our greatest natural glories, praised in Gaelic poetry by Argyll's Duncan Bàn MacIntyre and, more locally, by *Am Pìobaire Dall* (or the blind piper, John Mackay) of Gairloch, among others.

A *toll* is a "hole" or "hollow", often high in the hills. To*ll nam Biast* ("hollow of the beasts") is on Beinn Àiliginn in Torridon and *Fuar Tholl* near Achnashellach is a peak which takes its name from an adjacent "cold hollow".

Two common words, both meaning "slope" or "hillside", are *leathad* and *leitir*. Examples are the *Leathad Buidhe* ("yellow slope") near Loch Assynt, probably named for its vegetation, and *Leitir Iù*, anglicised Letterewe, ("the slope of Ewe", above Loch Ewe, now Loch Maree). A *glac* is a "hollow". *Glac Dhubh a' Chàise* above Annat in Torridon is "the black hollow of the cheese", reputedly named from when local people fled from a government vessel which entered the loch following the abortive Jacobite uprising of 1745-6, taking their provisions with them.

Tha *tuill* cumanta gu leòr sna beanntan. Uaireannan tha iad coltach ri coireachan domhain. Tha Toll nam Biast air Beinn Àiliginn ann an Toirbheartan agus 's e Fuar Tholl faisg air Ach nan Seileach mullach a tha a' gabhail ainm bho tholl làimh ris.

Tha na faclan *leathad* is *leitir* cumanta cuideachd. Tha an Leathad Buidhe faisg air Loch Asainte agus tha Leitir Iù os cionn "Loch Iù" – ach chaidh ainm an locha sin atharrachadh gu Loch Ma-Ruibhe. 'S e nàdar de lag a th' ann an *glac*. A rèir beul-aithris, tha Glac Dhubh a' Chàise os cionn na h-Annaid ann an Toirbheartan a' comharrachadh mar a theich muinntir an àite ro long-chogaidh Bhreatannach a nochd anns an loch às dèidh Ar-a-mach nan Seumasach ann an 1745-6, a' toirt an cuid bìdh leotha.

Coille na Glas-leitir
Coille na Glas-leitir

WATER, WATER, EVERYWHERE

The North West of Scotland is a famously well-watered landscape and it has a rich place name heritage associated with its lochs, burns and rivers. *Loch na h-Oidhche* in Torridon is "the night loch", so called because it fishes well after dark. Loch Maree is *Loch Ma-Ruibhe* ("the loch of Maol Rubha"), after the saint who established a monastery in Applecross in the 7th Century AD. The loch took its name from one of its islands – Isle Maree (*Eilean Ma-Ruibhe*). It was formerly Loch Ewe, which explains the village of Kinlochewe at its head.

"Sand" is *gainmheach* or *gaineamh*, so Loch Gaineimh, Loch Gainmhich and similar are "sandy lochs",

potentially providing a beach for a swim on a summer's day. A *lochan* is a "small loch". *Lochan* is also the plural, as in the *Clàr Lochan* ("lochs of the flat place") of the Rhidorroch Forest east of Ullapool.

The Gaelic for "river" is *abhainn*, as in the *Abhainn Dearg* ("red river") near Kinloch Damph, but in many instances river names appear on the maps in an anglicised form. Many rivers flow through wide, flattened glens known in English as straths (derived from the Gaelic *srath*). *Allt* ("burn/stream") is an extremely common element in the landscape. Close to Kinloch Damph are *Allt a' Ghiuthais* ("burn of the Scots pine") and *Alltan Èisg* ("small burn of fish"). *Eas* is a "waterfall" (the word itself sounds like

Loch Maree
Loch Ma-Ruibhe

UISGE SA H-UILE ÀITE

Tha ceann an Iar-thuath na h-Alba ainmeil airson a lochan, aibhnichean is uillt, agus tha na h-ainmean-àite co-cheangailte ri fìor-uisge pailt. Tha iasgach math ann an Loch na h-Oidhche ann an Toirbheartan – ach air an oidhche, seach air an latha. 'S e an Naomh Maol Rubha, a stèidhich manachainn ainmeil air a' Chomraich anns an 7mh linn AC a thug ainm do Loch Ma-Ruibhe. 'S ann bho Eilean Ma-Ruibhe a fhuair an loch ainm, fada às dèidh linn Ma-Ruibhe fhèin. Roimhe sin, 's e Loch Iù a bh' air agus 's e sin as coireach gur e Ceann Loch Iù a th' air a' bhaile aig a cheann.

'S iomadh loch air a bheil Loch Gaineimh no Loch Gainmhich, agus dh'fhaodadh iad a bhith freagarrach airson snàmh air latha samhraidh. Ged a tha *lochan* a' ciallachadh "loch beag" chan urrainn a ràdh le cinnt gum bi lochan nas lugha na loch. 'S e *lochan* an riochd iolra cuideachd; tha na Clàr Lochan ("lochan an àite chòmhnaird") ann am Frìth na Ruighe Dorcha sear air Ulapul.

Tha mòran aibhnichean anns an sgìre a' nochdadh air a' mhap le dreach na Beurla orra ach tha corra tè Ghàidhlig ann, me an Abhainn Dearg faisg air Ceann Loch Damh. Tha feadhainn a' sruthadh tro *shrathan*. Tha

Polbain
Am Poll Bàn

water falling over rocks); a lovely example is *Eas an Taghain* ("waterfall of the pine marten") in the Cromalt (*Crom-allt*, "bent burn") Hills near Elphin. *Uidh* refers to a "stream connecting two lochs", as in *Loch Uidh na Ceàrdaich* ("loch of the stream of the smithy") near Inverkirkaig (*Inbhir Chirceig*) in Assynt. *Inbhir* is a common Gaelic element meaning "river mouth" and *kirkaig* is Norse for "church bay".The bogs of Scotland are famous – the English word derives from the Gaelic *bog* ("soft"). A *poll* can be a "bog", "peat bank", "soft hollow" or a "pool in a river". The village of Polbain in Coigach is *Am Poll Bàn* ("the fair hollow"). Near Ben Hope is *Allt Poll nan Damh* ("burn of the wallowing place of stags"). *Fèith*, literally "a bog stream" but extended to mean the bog itself, should warn the walker of potentially difficult terrain. Classic examples of *fèithichean* (e.g. *Fèith Gaineimh Mhòr*, the "big sandy bog-stream") are to be found in the bog lands of western Caithness where the going on foot is decidedly difficult.

uillt gu math cumanta, me faisg air Ceann Loch Damh tha Allt a' Ghiuthais agus Alltan Èisg. Tha *easan* rudeigin pailt cuideachd; 's e eisimpleir snog Eas an Taghain ann an Cnuic a' Chrom-uillt faisg air Ailbhinn. 'S e *uidh* allt a cheanglas dà loch ri chèile, leithid Loch Uidh na Ceàrdaich faisg air Inbhir Chirceig ann an Asainte. 'S e *inbhir* eileamaid Ghàidhlig a tha a' ciallachadh "beul aibhne" agus tha *circeig* ("bàgh na h-eaglaise") a' tighinn bhon Lochlannais.

Tha boglaichean na h-Alba ainmeil – thàinig am facal Beurla *bog* bhon Ghàidhlig *bog*. Tha *poll* cumanta cuideachd – a' ciallachadh "boglach", "bac-mòine" no "linne ann an abhainn". 'S e Polbain anns a' Chòigich am Poll Bàn ("an lag fhionn"). Faisg air Beinn Hòb tha Allt Poll nan Damh, far am bi na daimh gam bogadh fhèin. Agus tha rabhadh an cois an fhacail *fèith*. Gu litreachail, tha e a' ciallachadh "allt ann am boglach" ach tha e cuideachd a' seasamh airson na boglaich fhèin. Tha eisimpleirean fìor mhath (me an Fhèith Ghaineimh Mhòr) ann am boglaichean taobh an iar Ghallaibh far a bheil e uabhasach doirbh slighe coiseachd a lorg.

THE EDGE OF THE LAND

Scandinavian settlement of the North West enriched our place name heritage, and Old Norse also added a considerable number of words to the Gaelic vocabulary. Laxford (*lax-fjörðr*, "salmon-firth") and Shieldaig (*síld-vík*, "herring bay") are examples of pure Norse names, while *eilean* ("island"), *geodha* ("creek", "cove", "geo") and *sgeir* ("sea-rock", "skerry") are examples of Gaelic words derived from Norse. *Eilean an Ròin Mòr* and *Eilean an Ròin Beag*, close to Kinlochbervie, are the "large and small seal islands", the *Geodha Sligeach* near Cape Wrath is "the geo abounding in sea shells" and the *Sgeir Leathann* near the mouth of Loch Eriboll is "the broad sea-rock".

Loch Broòm is *Loch Bhraoin*; *braon* means "a drop of water or rain" and probably originally referred to the river which flows to that sea loch from a freshwater *Loch a' Bhraoin* high in the Braemore (*Am Bràigh Mòr*, "the big upland") Forest. Loch Torridon is *Loch Thoirbheartan* – "place of portage" – where goods would be taken by land to the head of (the freshwater) Loch Maree.

Camas, a "bay", is a common element. *Camas an Daimh*, "bay of the stag", is near Ullapool and *Camas nan Gobhar* ("bay of the goats") is at Mellon Charles on Loch Ewe. Mellon Charles is *Meallan Theàrlaich*

Loch Laxford
Loch Lusard

OIR NA TÌRE

Thug na Lochlannaich buaidh nach bu bheag air dualchas ainmean-àite an Iar-thuath agus chuir an cànan aca àireamh fhaclan do bhriathrachas na Gàidhlig. Mar eisimpleir, tha Lusard (Laxford) a' tighinn bho *lax-fjörðr* ("loch mara bhradan") agus tha Sìldeig a' tighinn bho *síld-vík*, ("bàgh sgadan"). Tha *eilean*, *geodha* agus *sgeir* nan eisimpleirean de dh'fhaclan Gàidhlig, a nochdas gu tric ann an ainmean-àite, a thàinig bhon t-Seann Lochlannais.

Tha *braon* ann an Loch Bhraoin (Ulapul) a' ciallachadh "boinneag" no "uisge" agus thathar a' smaoineachadh gun robh e bho thùs a' riochdachadh na h-aibhne a ruitheas a-steach don loch sin – agus a thòisicheas ann an Loch a' Bhraoin air mòinteach a' Bhràigh Mhòir. Tha Toirbheartan ann an Loch Thoirbheartan a' ciallachadh "àite far am biodh bathar air a thoirt thar tìr" (gu ruige Loch Ma-Ruibhe).

Tha am facal *camas* cumanta. Tha Camas an Daimh faisg air Ulapul agus tha Camas nan Gobhar aig Meallan Theàrlaich air cladach Loch Iù. B' e Teàrlach leth-bhràthair do dh'Fhear Gheàrrloch a fhuair fearann an sin. 'S e *bàgh* facal eile coltach ri *camas*. Tha am Bàgh Leathann deas air Sgobhairidh.

("Charles' little hill"), named for a half-brother of the laird of Gairloch who was given land there. *Bàgh* is another word meaning "bay", as in the *Bàgh Leathann* ("broad bay") south of Scourie.

Rubha means "point", "promontory", "headland"; *Rubha Camas a' Mhaoraich* at the mouth of Loch Broom is the "point of the bay of the shellfish". *Gob*, a "beak" or "mouth" is the origin of the English slang word *gob* but also means a "point"; *Gob a' Gheodha* ("point of the geo") is north of Aultbea. *An àird* is a "promontory". Ardaneaskan (*Àird an Fheusgain*) at the mouth of Loch Carron is the "mussel promontory".

Port shares a common origin with its English equivalent (in the Latin *portus*) and means a "port" or "harbour". *Eilean Port a' Choit* in Loch Laxford is the "island of the harbour of the small boat". Among the many meanings of *poll* is a "sea-inlet" e.g. the *Poll Crèadha* ("clay pool") in Applecross, while an *acarsaid* is an "anchorage", as in *Acarsaid Mhic Mhurchaidh Òig* ("of the son of young Murdo") near the mouth of Loch Laxford.

Tha *rubhaichean* cumanta cuideachd; mar eisimpleir tha Rubha Camas a' Mhaoraich aig beul Loch Bhraoin. Tha *gob* (às an tàinig am facal mith-chainnteach Beurla *gob*) an siud 's an seo, a' ciallachadh "rubha beag" no "ceann rubha". Tha Gob a' Gheodha tuath air an Allt Bheithe. 'S e *àird* facal eile airson pìos talmhainn a stobas a-mach don mhuir. Tha Àird an Fheusgain aig beul Loch Carrann.

Thàinig *port* ann an Gàidhlig agus Beurla bhon aon fhreumh (*portus* ann an Laideann). Tha *coit* a' riochdachadh "bàta beag" ann an Eilean Port a' Choit ann an Loch Lusard. Gheibh bàtaichean-seòlaidh àite airson na h-oidhche ann am *poll* (me am Poll Crèadha air cladach na Comraich) no ann an *acarsaid*, leithid Acarsaid Mhic Mhurchaidh Òig faisg air beul Loch Lusard.

Ullapool & Loch Broom
Ulapul is Loch Bhraoin

PLANT NAMES: CLUES TO A DYNAMIC ECOLOGY

There is a great variety of native plants represented in our place names, and these often give us an insight into how the ecology has changed over time. Our native Scots pines (*giuthas*) only occur in scattered pockets but are commemorated in places like *Meall a' Ghiuthais* ("hill of the pine") in the Beinn Eighe National Nature Reserve, which, thanks to the work of Scottish Natural Heritage, is becoming steadily more *giuthasach* ("pine-clad").

A *doire* was originally a "grove of trees", e.g. *Rubha an Doire Chuilinn* ("point of the holly grove") on Loch Assynt, but it can now also mean a "hollow" or "low area". *Bad* was originally a "clump of trees" but can also now mean a "knoll". Badcall near Scourie is *Bad Call* ("hazel clump").

Five broadleaved trees remained well represented in both the ecology and place name heritage of the North West Highlands – the oak (*darach*), rowan (*caorann*), alder (*feàrna*), hazel (*calltainn*) and birch (*beithe*). *Meall an Leathaid Dharaich* near Poolewe is the "hill of the oak-slope", *Meall a' Chaorainn* south of Elphin is the "rowan hill", *Srath Coille na Feàrna* near Loch Eriboll is the "strath of the alder wood", *Loch a' Phreasain*

Challtainn near Scourie is the "loch of the small hazel bush", and the village of Aultbea derives its name from the *Allt Beithe* ("birch burn").

The Gaelic for willow is *seileach*, historically *salach*. Achnashellach is *Ach nan Seileach* ("field of the willows") and Sallachy (*Salachaidh*) on Loch Long is the "place of willows". The juniper is *aiteann*, found in *Loch Ruighean an Aitinn* ("loch of the small slope of the juniper") near Drumbeg in Assynt, *raineach* is bracken, as in *Creag Rainich* ("bracken rock") near Dundonnell, and the clover, *seamrag* (our equivalent of the Irish shamrock), is represented in *Loch na Seamraig* ("loch of the clover") at Cape Wrath. *Bad a' Chreamha* near Strome is the "clump/knoll of the wild garlic".

Historical information about plants growing around shielings is often left to us in place names – such as *Loch na h-Àirigh Fraoich* ("loch of the heather shieling") near Lochinver and Airigh Drishaig (*An Àirigh Dhriseach*, the "brambly shieling") in Applecross. Clues as to historical use of berries for dyeing or food are left in names like *Beinn nan Cnaimhseag* ("mountain of the bearberries") near Inchnadamph and *Creag nan Dearcag* ("rock of the berries") in Inverpolly.

Wild Garlic
Creamh

Tha eugsamhlachd mhòr de lusan dùthchasach air a riochdachadh nar n-ainmean-àite, a tha gu tric a' toirt sealladh dhuinn air mar a tha an àrainneachd air atharrachadh tro thìm. Tha craobhan-giuthais air an comharrachadh ann an àiteachan mar Meall a' Ghiuthais ann an Tèarmann Nàdair Nàiseanta Beinn Eighe a tha a' fàs nas giuthasaiche a-rithist, air sgàth obair Dualchas Nàdair na h-Alba.

O thùs b' e *doire* coille bheag, me Rubha an Doire Chuilinn air Loch Asainte, ach tha ciall eile a bharrachd oirre a-nise – lag no àite ìosal. B' e *bad* còmhlan beag chraobhan bho thùs ach tha e cuideachd a' ciallachadh *tom* an-diugh. Tha Badcall (Bad Call) faisg air Sgobhairidh a' ciallachadh "bad calltainne".

Tha còig craobhan duilleag-leathanach air an riochdachadh gu mòr ann an àrainneachd is ainmean-àite Iar-thuath na Gàidhealtachd – an *darach, caorann, feàrna, calltainn* agus *beithe*. 'S iad eisimpleirean de dh'ainmean-àite anns an nochd iad – Meall an Leathaid Dharaich faisg air Poll Iù, Meall a' Chaorainn deas air Ailbhinn, Srath Coille na Feàrna faisg air Loch Eurabol agus Loch a' Phreasain Challtainn faisg air Sgobhairidh. Tha Aultbea ann am Beurla a' tighinn bhon Ghàidhlig Allt Beithe.

Tha *seileach* a' nochdadh ann an ainmean an siud 's an seo, me Ach nan Seileach. O shean 's e *salach* a bh' ann agus tha sin ri fhaicinn cuideachd me Salachaidh ("àite nan seileach") air Loch Long. Tha *aiteann* a' nochdadh ann an Loch Ruighean an Aitinn faisg air an Druim Bheag ann an Asainte, tha *raineach* a' nochdadh ann an Creag Rainich faisg air Achadh Dà Dhòmhnaill agus tha an *t-seamrag* air a cuimhneachadh ann an Loch na Seamraig faisg air a' Pharbh. 'S e *creamh* a' Ghàidhlig air "wild garlic" agus tha Bad a' Chreamha ri lorg faisg air an t-Sròm.

Tha fiosrachadh mu na lusan a bha timcheall air àirighean air a ghlèidheadh ann an ainmean-àite mar Loch na h-Àirigh Fraoich faisg air Loch an Inbhir agus an Àirigh Dhriseach air a' Chomraich. Agus tha ainmean mar Beinn nan Cnaimhseag faisg air Innis nan Damh agus Creag nan Dearcag ann an Inbhir Pollaidh a' cur nar cuimhne mar a bhiodh daoine a' cleachdadh mheasan dùthchasach gu tric mar bhiadh no airson clò a dhathadh.

DEER, BIRDS AND WILD DOGS

There is a large number of references to wild animals in our place names. Occasionally they are of animals no longer found in Scotland, such as the *torc* ("wild boar"), as in *Rubha Àird an Tuirc* ("point of the promontory of the wild boar") on Loch Broom – although this is as likely to relate to the shape of the feature as to the former presence of the animal itself. The wolf, or *madadh-allaidh* ("savage wild dog"), once occurred in these parts, and *madadh* is a common place name element, although it is just as likely, if not more likely, to refer to the fox – *am madadh-ruadh* ("red-brown wild dog"). Examples are *Cnoc a' Mhadaidh* ("hill of the wild dog") near Foinaven and *Toll a' Mhadaidh* (Mòr/Beag) – "big/small hollows of the wild dog" – on Beinn Àiliginn.

Another word for "fox" is *sionnach*. *Rubha Àird an t-Sionnaich* near Scourie is the "point of the promontory of the fox". For those with livestock on the hills, the location of a *saobhaidh* ("fox or wolf den") was, and still can be, important information, and the word pops up in place names like *Creag na Saobhaidh* ("rock of the fox den") near Kinloch Damph.

The red deer has long been a part of the Highland scene, and it regularly appears in place names. *Meall nam Fiadh* in the Inverpolly Forest is the "hill of the deer", *Beinn Damh* in Torridon is "mountain of stags" and Inchnadamph is *Innis nan Damh* ("meadow of the stags"), while several hills called *Meall a' Bhùirich* translate as the "hill of the bellowing" (of stags). While wild goats may not be frequently observed, names like *Eas na Goibhre* ("waterfall of the goat") near Diabaig remind us of their presence, and the animals are still to be seen sometimes on *Meallan Ghobhar* ("small hill of goats") near Kinlochewe.

Bird names are also well represented, often associated with water bodies, as in *Loch nan Eun* ("loch of the birds") near Kylesku, *Lochain nan Ealachan* ("small lochs of the swans") in the Glendhu Forest and *Lochan na Faoileig* ("small loch of the seagull") near Arkle. *Cnoc na Circe* ("hill of the hen") near Lochinver commemorates the grouse, *cearc-fhraoich* ("heather hen") in Gaelic. *Creag an Fhithich* ("rock of the raven") is on Baosbheinn,

Red Deer Stag
Damh

FÈIDH, EÒIN IS MADAIDHEAN

Tha ainmean fhiadh-bheathaichean a' nochdadh gu tric nar n-ainmean-àite. Corra uair, nochdaidh ainmean bheathaichean nach eil ann am bith ann an Alba an-diugh, leithid an *tuirc*, me Rubha Àird an Tuirc air Loch Bhraoin – ged a tha e a cheart cho coltach gu bheil sin a' buntainn ri cumadh na feairt-tìre, seach creutairean mucach a bha uaireigin beò ann. B' àbhaist don mhadadh-allaidh a bhith a' fuireach ann an seo cuideachd, ach tha e a cheart cho coltach, mura h-eil e nas coltaiche, gu bheil *madadh*, a tha cumanta ann an ainmean-àite na sgìre, a' buntainn ris a' mhadadh-ruadh. Tha Cnoc a' Mhadaidh faisg air an Fhoinne Bheinn agus Toll a' Mhadaidh (Mòr/Beag) air Beinn Àiliginn nan eisimpleirean.

Tha am facal *sionnach* ri fhaicinn cuideachd, leithid Rubha Àird an t-Sionnaich faisg air Sgobhairidh. Dhaibhsan aig an robh, no aig a bheil, stoc sa mhonadh, tha e cudromach fios a bhith aca air far a bheil saobhaidh, agus tha am facal sin a' nochdadh an siud 's an seo ann an ainmean-àite, leithid *Creag na Saobhaidh* faisg air Ceann Loch Damh.

Tha fèidh air a bhith air a' Ghàidhealtachd airson ùine mhòr agus tha iad a' nochdadh gu tric ann an ainmean-tìre. Tha Meall nam Fiadh ann am Frìth Inbhir

Wolf
Madadh-allaidh

Bad an t-Seabhaig ("knoll of the peregrine falcon") is near Laxford Bridge and *Cnoc na h-Iolaire* ("hill of the eagle") appears in several locations.

Water bodies are often named for the fish that live there. An example is *Loch nam Breac Mòra* ("loch of the big trout") – whose exact location the author is loathe to advertise! Some lochs have strange stories attached to them. *Lochan nam Breac Odhar* ("small loch of the dun trout") near Port Henderson, Gairloch, was reputedly originally *Loch nam Breac-adhair* ("loch of the sky trout"), so called because the trout fell there in a shower. *Loch na Bèiste*, north of Aultbea, is the "loch of the beast", where a terrible creature reputedly lived in the 19th and earlier centuries. An attempt to drain the loch, in order to find the animal and kill it, was unsuccessful.

Wild Boar
Torc

Pollaidh, tha Beinn Damh ann an Toirbheartan agus tha Innis nan Damh ann an Asainte. Tha fuaim nan damh anns an dàmhair air a chomharrachadh air grunn mheall air a bheil Meall a' Bhùirich. Ged nach eil gobhair cho pailt ri fèidh, tha iad air an cuimhneachadh ann an àiteachan mar Eas na Goibhre faisg air Diabaig, agus tha iad rim faicinn fhathast bho àm gu àm air Meallan Ghobhar faisg air Ceann Loch Iù.

'S iomadh eun a nochdas cuideachd, gu tric ann an co-cheangal ri lochan, leithid Loch nan Eun faisg air a' Chaolas Chumhang, Lochain nan Ealachan ann am Frìth a' Ghlinn Duibh agus Lochan na Faoileig faisg air Arcail. Tha a' *chearc-fhraoich* air a comharrachadh ann an Cnoc na Circe faisg air Loch an Inbhir, tha Creag an Fhithich air Badhaisbheinn, tha Bad an t-Seabhaig faisg air Drochaid Lusaird agus tha grunn chnoc ann air a bheil Cnoc na h-Iolaire.

Tha mòran lochan, uillt is aibhnichean air an ainmeachadh airson an cuid èisg. Tha Loch nam Breac Mòra na eisimpleir, ach chan eil an t-ùghdar (a tha measail air iasgach slait) ro dheònach innse cà' bheil e! Tha dualchas àraidh co-cheangailte ri cuid de lochan. Thathar a' cumail a-mach gur e seann ainm Loch nam

Breac Odhar – Loch nam Breac-adhair – oir thuit na bric ann bho na speuran. Agus bhathar ag ràdh gun robh creutair borb a' fuireach ann an Loch na Bèiste tuath air an Allt Bheithe anns an 19mh linn agus roimhe sin. Rinneadh oidhirp uisge an loch a thràghadh airson cur às don chreutair ach cha robh i soirbheachail.

Raven
Fitheach

PEOPLE, SHIELINGS AND HUNTING

A significant number of personal names occur in the landscape, although very often we cannot identify the person involved. *Creag Shomhairle* ("Somhairle's crag") near Loch Eriboll and *Cnoc Thormaid* ("Norman's hill") near Scourie are examples. In some cases, however, we are able to identify the person named, as in *Coire Mhic Fhearchair* on Beinn Eighe, the "corrie of Farquhar's son", which is thought to be named for William, second Earl of Ross and son of Fearchar Mac an t-Sagairt. Anancaun on the Kinlochewe River is associated with Black Murdo of the Cave, chief of Kintail. *Ath nan Ceann* is "the ford of the heads", so called because the severed heads of the retainers of Leod Mac Gillandreis who were slaughtered by Murdo's men in a battle in around 1360 washed up at this spot after being cast into the river.

Sheep were not a large part of the economy in earlier times and only occur sporadically in place names, as in *Beinn nan Caorach* ("mountain of the sheep") in Coigach. Cattle, however, for long an economic mainstay, are more widely recorded, as in *Meall Coire nan Laogh* ("hill of the corrie of the calves") near Loch Glascarnoch, *Eilean a' Ghamhna* ("island of the stirk/young cow") near Kylesku, *Loch Coire na Bà Buidhe* ("loch of the corrie of the yellow cow") east of Ullapool and *Meall a' Bhainne* ("hill of the milk") near Gairloch.

The word *àirigh* – a "shieling" (summer hill-grazing place) is relatively common. Examples are *Loch Àirigh Alasdair* ("the loch of Alasdair's shieling") in Applecross and *Beinn Àirigh Chàrr* ("rocky shieling mountain") in Letterewe. *Imrich* usually indicates a route taken to shielings, as in *Bealach na h-Imrich* ("pass of the flitting"), south of Loch Eriboll.

Abhainn na Fùirneis ("river of the furnace") on Loch Maree-side likely dates from the 18th Century, recording a phase of industrial smelting which used charcoal derived from the native pine forests. The workers were reputedly buried near the head of the loch at *Cladh nan Sasannach* ("the Englishmen's cemetery").

Hunting is another activity recorded on our maps, as in *Srath na Sealga* ("strath of the hunts") near An Teallach. *Càrn nan Conbhairean* on Ben More Assynt is the "hill of the dog-handlers", *conbhairean* being important people when large scale deer-hunting with dogs was still in vogue.

Returning from the hunt, Coulin
Na sealgairean a' tilleadh, Cùlainn

DAOINE, ÀIRIGHEAN IS SEALG

Tha mòran ainmean pearsanta air clàr na dùthcha, ach gun fhios le cinnt againn gu tric cò na daoine, me Creag Shomhairle faisg air Loch Euraboll agus Cnoc Thormaid faisg air Sgobhairidh. Corra uair, ge-tà, tha fios againn cò bh' ann. Thathar a' dèanamh dheth gun d' fhuair Coire Mhic Fhearchair air Beinn Eighe ainm bho Uilleam, dàrna Iarla Rois agus mac Fhearchair Mhic an t-Sagairt. Chaidh Ath nan Ceann air Abhainn Cheann Loch Iù ainmeachadh às dèidh cath timcheall air a' bhliadhna 1360 nuair a chaidh gillean aig Leòd Mac Gillandreis a mharbhadh le feachd aig Murchadh Dubh na h-Uamha. Chaidh cinn nan gillean a shadail don abhainn agus thàinig iad gu tìr anns an àite seo.

Cha robh caoraich cudromach don eaconamaidh anns an t-seann aimsir agus chan eil iad pailt ann an ainmean-àite. Tha eisimpleir anns a' Chòigich – Beinn nan Caorach. Ach tha crodh a' nochdadh fada nas trice oir bha iad fìor chudromach do dhòigh-beatha an t-sluaigh. Tha Meall Coire nan Laogh faisg air Loch Clais-chàrnaich, tha Eilean a' Ghamhna faisg air a' Chaolas Chumhang, tha Loch Coire na Bà Buidhe sear air Ulapul agus tha Meall a' Bhainne faisg air Geàrrloch.

Chithear briathrachas co-cheangailte ris an *àirigh* gu tric, leithid Loch Àirigh Alasdair air a' Chomraich agus Beinn Àirigh Chàrr faisg air Leitir Iù. Tha *imrich* mar as trice a' comharrachadh slighe a ghabhadh na daoine don àirigh. 'S e eisimpleir Bealach na h-Imrich deas air Loch Euraboll.

In a country famed for its music, poetry and legend, it is fitting that such activities are also woven into our landscape. *Loch Àirigh a' Bhàird* ("loch of the poet's shieling") lies in the shadow of Arkle, *Sgùrr an Fhìdhleir* in Coigach is the "fiddler's peak", while *Bealach nam Fiann* ("pass of the Fingalians") north of Kylesku, named after the followers of the legendary warrior Fingal (*Fionn MacCumhail* in Gaelic), hints at stories of some of the greatest heroes ever to have inhabited the Gaelic imagination.

Hay Making, Lochbroom. Crofting is a direct descendant of an older way of life in which livestock were taken to high pastures, or shielings, to relieve the grazing pressure on township lands during the summer months. Many place names, notably involving àirigh (shieling) or imrich (flitting) derive from this transhumant lifestyle.

Obair an fheòir, Lochbhraoin. Tha ceangal eachdraidheil eadar croitearachd mar a tha i agus an t-seann dòigh-beatha nuair a bhithte a' toirt na sprèidh don àirigh as t-samhradh airson leigeil leis an fheur sa bhaile fàs. Tha mòran ainmean-àite, gu h-àraidh feadhainn anns a bheil àirigh no imrich a' nochdadh, a' tighinn bhon chaitheamh-beatha sin.

Tha dùil gur ann don 18mh linn a bhuineas an t-ainm Abhainn na Fùirneis, taobh Loch Ma-Ruibhe, oir bha leaghadh tionnsgalach a' dol an sin, a' cleachdadh gual-fiodha a chaidh a dhèanamh de chraobhan dùthchasach. A rèir beul-aithris bha an luchd-obrach air an tiodhlacadh faisg air ceann an locha ann an àite air a bheil Cladh nan Sasannach.

Tha *sealg* air a clàradh air cairt na dùthcha cuideachd, mar ann an Srath na Sealga faisg air an Teallach. Bha *conbhairean* (feadhainn a bha a' làimhseachadh nan con-seilg) cudromach o shean agus tha iad air an cuimhneachadh an siud 's an seo, leithid ann an Càrn nan Conbhairean air Beinn Mhòr Asainte.

Agus ann an dùthaich a tha ainmeil airson a cuid ciùil, bàrdachd is beul-aithris, nach eil e iomchaidh gu bheil gnothaichean mar sin air am fighe a-steach do chlò na tìre. Tha Loch Àirigh a' Bhàird ri taobh Arcail agus tha Sgùrr an Fhìdhleir anns a' Chòigich. Tha Bealach nam Fiann tuath air a' Chaolas Chumhang a' cuimhneachadh cuid de na gaisgich a bu treasa riamh a bha beò ann am mac-meanmna nan Gàidheal.

Camping in Coire Mhic Fhearchair
Campachadh ann an Coire Mhic Fhearchair

A Guide to Pronunciation

Gaelic place names in the text are given below with a pronunciation guide. Note that the pronunciation is only very approximate – the only sure way to master it is to learn the language. Some Gaelic sounds don't occur in English – a good example in the table is the vowel sound given as "oeu". The closest approximation which many English-speakers will have encountered is in the French oeuf (an egg).

Name	Pronunciation guide to Gaelic	Meaning in English	Grid Reference
Abhainn Dearg	av-in JER-ek	red river	NG880473
Abhainn na Fùirneis	av-in nuh FOOR-nish	river of the furnace	NG975704
Acarsaid Mhic Mhurchaidh Òig	achk-ur-sutch vichk voor-uh-chee ÒIK	anchorage of the son of young Murdo	NC161504
Ach nan Seileach (Achnashellach)	ach nun SHAY-luch	field of the willows	NH002482
Àirigh Dhriseach (Airigh Drishaig)	AA-ree GHREE-shuch	the brambly shieling	NG768369
Allt a' Choire Bhuidhe	owlt uh chor-uh VOO-yuh	burn of the yellow corrie	NH277900
Allt a' Ghiuthais	owlt uh YOO-ish	burn of the Scots pine	NG873458
Allt a' Ghlinne Dhorcha	owlt uh GHLEEN-yuh GHOR-och-uh	burn of the dark glen	NC190177
Allt Poll nan Damh	owlt powl nun DAFF	burn of the wallowing place of stags	NC398433
Alltan Èisg	alt-an AYSHK	small burn of fish	NG880465
Ath nan Ceann (Anancaun)	ah nun KYOWN	ford of the heads	NH024627

Àird an Fheusgain (Ardaneaskan)	aarsd un YEE-usk-in	mussel promontory	NG835351
Allt Beithe (Aultbea)	owlt BAY-huh	birch burn	NG873890
Bad a' Chreamha	bat uh CHREFF-uh	clump/knoll of the wild garlic	NG857367
Bad an t-Seabhaig	bat un TCHEV-ik	knoll of the peregrine falcon	NC495368
Bàgh Leathann	baagh LE-hun	broad bay	NC163387
Bealach Coir' a' Choin	byal-uch kor-uh uh CHON	pass of the dog's corrie	NC274646
Bealach na h-Imrich	byal-ach nuh HIM-uh-rich	pass of the flitting	NC365503
Bealach nam Bò	byal-uch num BOE	pass of the cows	NG780415
Bealach nam Fiann	byal-uch num FEE-an	pass of the Fingalians	NC272382
Bealach nan Àrr	byal-uch nun AAR	pass of the ladders	NG788447
Beinn Àiliginn (Ben Alligin)	bayn AAH-lik-in	mountain of Alligin	NG860610
Beinn Àirigh Chàrr	bayn a-ree CHAAR	rocky shieling mountain	NG931762
Beinn an Eòin	bayn un YÒN	mountain of the bird	NC105064
Beinn an Fhuarain	bayn un OO-uh-run	mountain of the spring	NC261159
Beinn Damh	bayn DAFF	mountain of stags	NG888508
Beinn Dearg	bayn JER-ek	red mountain	NH259812
Beinn Eighe	bayn AY	file mountain	NG960595
Beinn Gharbh	bayn GHAR-av	rough mountain	NC217223

Beinn nan Caorach	bayn nun KOEU-ruch	mountain of the sheep	NC080053
Beinn nan Cnaimhseag	bayn nun KRIE-shak	mountain of the bearberries	NC273178
Beinn Rèidh	bayn RAY	smooth mountain	NC211212
Beinn Tarsainn	bayn TAR-sing	transverse mountain	NH035728
Cadha na Beucaich	ka-uh nuh BAYCHK-ich	pass of the roaring	NC322489
Camas an Daimh	cam-uss un DIE-ff	bay of the stag	NH150920
Camas nan Gobhar	cam-uss nun GOW-ur	bay of the goats	NG841197
Càrn Dearg	kaarn JER-ek	red rocky hill	NG782451
Càrn nan Conbhairean	kaarn nun KON-uh-vur-un	rocky hill of the dog handlers	NC325180
Cladh nan Sasannach	klugh nun SASS-uh-nuch	the Englishmen's cemetery	NH007659
Clàr Lochan	KLAAR loch-an	lochs of the flat place	NH256950
Cnoc a' Mhadaidh	krochk uh VAT-ee	hill of the wild dog	NC325525
Cnoc an Fhuàrain Bhàin	krochk un OO-uh-run VAAN	hill of the fair spring	NC319260
Cnoc Mòr an Rubha Bhig	krochk MORE un roo-ah VEEK	big hill of the small promontory	NC048143
Cnoc na Circe	krochk nuh KEERK-uh	hill of the grouse	NC128196

Cnoc na h-Iolaire	krochk nuh HYOOL-uh-ruh	hill of the eagle	NC551514
Cnoc Thormaid	krochk HOR-uh-mitch	Norman's hill	NC188424
Coille na Glas-leitir	kul-yuh nuh glass LAY-tchir	wood of the grey slope	NG997649
Coire Bog	kor-uh BOKE	soft corrie	NH133613
Coire Dubh Mòr	kor-uh doo MORE	great black corrie	NG950589
Coire Glas	kor-uh GLASS	green corrie	NG727485
Coire Mhic Fhearchair	kor-uh vichk ER-uh-chur	corrie of Farquhar's son	NG945605
Creag an Fhithich	krayk un YEE-ich	rock of the raven	NG858676
Creag Liath	krayk LEE-uh	grey crag	NC279153
Creag na Saobhaidh	krayk nuh SOEU-vee	rock of the fox den	NG872478
Creag nan Calman	krayk nun KAL-ah-mun	crag of the doves	NC160114
Creag nan Dearcag	krayk nun JERK-ak	rock of the berries	NC096098
Creag Rainich	krayk RAN-yich	bracken rock	NH096752
Creag Shomhairle	krayk HOH-ur-luh	Somhairle's crag	NC382508
Dubh Loch	DOO loch	dark loch	NG985761

Eas an Taghain	ess un TUGH-in	waterfall of the pine marten	NC229068
Eas na Goibhre	ess nuh GOY-ruh	waterfall of the goat	NG784640
Eilean a' Ghamhna	ay-lan uh GHOWN-uh	island of the stirk	NC205333
Eilean an Ròin Beag	ay-lan un roh-in BAYK	small seal island	NC173583
Eilean an Ròin Mòr	ay-lan un roh-in MORE	large seal island	NC180585
Eilean Port a' Choit	ay-lan porst uh CHOTCH	island of the harbour of the small boat	NC214481
Fèith Gaineimh Mhòr	fay gan-yiv VORE	big sandy bog-stream	NC950325
Fionn Loch	FYOON loch	fair loch	NG950785
Fuar Tholl	FOO-ur howl	cold hollow	NG975489
Garbh Choire Mòr	gar-av chor-uh MORE	big rough corrie	NH251672
Geodha Sligeach	gyoe-uh SHLEEK-uch	geo abounding in sea shells	NC345716
Glac Dhubh a' Chàise	glachk GHOO uh CHAASH-uh	black hollow of the cheese	NG898541
Gleann Dubh	glyown DOO	black glen	NC300330
Gleann na Muice	glyown nuh MOO-eech-kuh	glen of the pig	NH046775
Gob a' Gheodha	gope uh YO-uh	point of the geo	NG834947

Innis nan Damh (Inchnadamph)	in-ish nun DAFF	meadow of the stags	NC252218
Leathad Buidhe	leh-ut BOO-yuh	yellow slope	NC191229
Leitir Iù (Letterewe)	lay-tchir YOO	the slope of Ewe	NG955714
Liathach	LEE-ugh-uch	the light grey one	NG925575
Loch a' Bhraoin	loch uh VROEUN	loch of water (originally a river name)	NH131740
Loch a' Phreasain Challtainn	loch uh fress-in CHOWL-tin	loch of the small hazel bush	NC188467
Loch Àirigh a' Bhàird	loch ah-ree uh VAARSD	loch of the poet's shieling	NC287452
Loch Àirigh Alasdair	loch ah-ree AL-ust-ir	loch of Alasdair's shieling	NG745369
Loch Coire na Bà Buidhe	loch kor-uh nuh BAA boo-yuh	loch of the corrie of the yellow cow	NH200918
Loch Fada	loch FAT-uh	long loch	NG917865
Loch Gaineimh	loch GAN-yuv	sandy loch	NC766609
Loch Gainmhich	loch GAN-uh-ich	sandy loch	NC812651
Loch na Bèiste	loch nuh BAYSHT-yuh	loch of the beast	NC590460
Loch na h-Àirigh Fraoich	loch nuh haa-ree FROEU-ich	loch of the heather shieling	NC132213
Loch na h-Oidhche	loch nuh HUH-ee-chuh	the night loch	NG890654

Loch na Seamraig	loch nuh SHAM-uh-rik	loch of the clover	NC280727
Loch nam Breac Mòra	loch num bre-uchk MORE-uh	loch of the big trout	
Loch nan Eun	loch nun EE-un	loch of the birds	NC232299
Loch Ruighean an Aitinn	loch roo-yun un AHTCH-in	loch of the small slope of the juniper	NC125328
Loch Uidh na Ceàrdaich	loch oo-ee nuh KYAARSD-ich	loch of the stream of the smithy	NC114187
Lochain nan Ealachan	loch-in nun YAL-uch-un	small lochs of the swans	NC323352
Lochan na Faoileig	loch-an nuh FOEU-lik	small loch of the seagull	NC326449
Lochan nam Breac Odhar	loch-an num bre-uchk OW-ur	small loch of the dun trout	NG767721
Maol an Uillt Mhòir	moeul un oo-iltch VORE	bare hill of the big burn	NG748475
Meall a' Bhainne	myowl uh VAN-yuh	hill of the milk	NG751831
Meall a' Bhùirich	myowl uh VOO-rich	hill of the bellowing	NC311349
Meall a' Chaorainn	myowl uh CHOEU-rin	rowan hill	NC263043
Meall a' Ghiuthais	myowl uh YOO-ish	hill of the pine	NG978638
Meall an Leathaid Dharaich	myowl un le-hitch GHAR-ich	hill of the oak-slope	NG878811
Meall Coire nan Laogh	myowl kor-uh nun LOEUGH	hill of the corrie of the calves	NH319748
Meall Gorm	myowl GOR-om	green hill	NG780408

Meall Meadhanach	myowl MEE-uh-nuch	middle hill	NC410629
Meall na Leitreach	myowl nuh LAY-truch	hill of the slope	NC341325
Meall nam Fiadh	myowl num FEE-ugh	hill of the deer	NC114127
Meallan Ghobhar	myal-un GOW-ur	small hill of goats	NH029646
Poll Crèadha	powl KREE-ugh	clay pool	NG710410
Ruadh Stac Mòr	roo-ugh stachk MORE	big red-brown steep hill	NH019757
Rubh' Àird an t-Sionnaich	roo-uh aarsd un TYOO-nich	point of the promontory of the fox	NC142434
Rubha Àird an Tuirc	roo-uh aarsd un TOORK	point of the promontory of the wild boar	NH177870
Rubha an Doire Chuilinn	roo-uh un dor-uh CHOO-lin	point of the holly grove	NC201258
Rubha Camas a' Mhaoraich	roo-uh cam-uss uh VOEU-rich	point of the bay of the shellfish	NH082967
Sàil Gharbh	sal GAR-av	rough spur	NC214298
Sàil Mhòr	sal VORE	great spur	NG937606
Seana Bhràigh	SHEN-uh vrie	old upland	NH281879
Sgeir Leathann	skayr LE-hun	broad sea-rock	NC430668
Sgòrr Deas	skor JESS	southern peak	NC101068

Sgòrr Tuath	skor TOO-uh	northern peak	NC110075
Sgùrr a' Chaorachain	skoor uh CHOOR-uch-un	hill of the torrents	NG786425
Sgùrr an Fhìdhleir	skoor un YEE-lur	fiddler's peak	NC095055
Sgùrr an Tuill Bhàin	skoor un too-il VAAN	peak of the fair hollow	NH019689
Spidean Coire nan Clach	speed-un cor-uh nun KLACH	pinnacle of the corrie of the stones	NG965596
Srath Coille na Feàrna	strah kul-yuh nu FYAAR-nuh	strath of the alder wood	NC375505
Srath na Sealga	strah nuh SHAL-ak-uh	strath of the hunts	NH065805
Stùc Coire nan Laogh	stoochk cor-uh nun LOEUGH	pinnacle of the corrie of the calves	NG968592
Teallach (An)	un TCHAL-uch	the forge	NH065837
Toll a' Mhadaidh Beag	towl uh vat-ee BAKE	small hollow of the wild dog	NG872610
Toll a' Mhadaidh Mòr	towl uh vat-ee MORE	big hollow of the wild dog	NG862608
Toll nam Biast	towl num BEE-ast	hollow of the beasts	NG872617